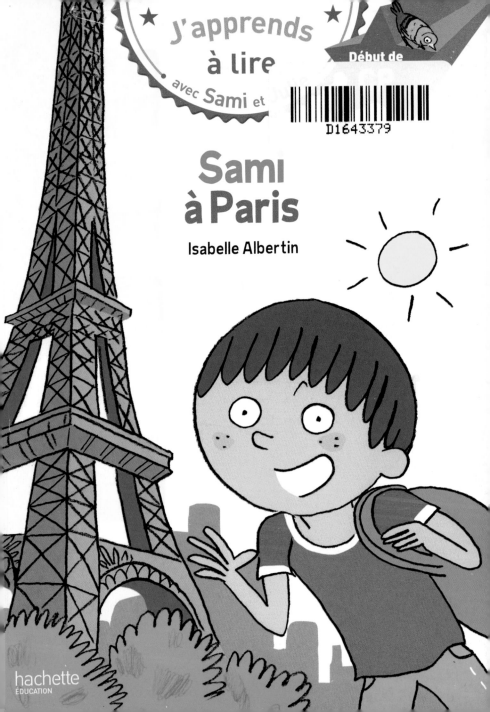

J'apprends
à lire
avec **Sami** et

Début de

D1643379

Sami
à Paris

Isabelle Albertin

hachette
ÉDUCATION

Avec Sami et Julie, lire est un plaisir !

Avant de lire l'histoire

- Parlez ensemble du titre et de l'illustration en couverture, afin de préparer la compréhension globale de l'histoire.
- Vous pouvez, dans un premier temps, lire l'histoire en entier à votre enfant, pour qu'ensuite il la lise seul.
- Si besoin, proposez les activités de préparation à la lecture aux pages 4 et 5. Elles permettront de déchiffrer les mots les plus difficiles.

Après avoir lu l'histoire

- Parlez ensemble de l'histoire en posant les questions de la page 30 : « As-tu bien compris l'histoire ? »
- Vous pouvez aussi parler ensemble de ses réactions, de son avis, en vous appuyant sur les questions de la page 31 : « Et toi, qu'en penses-tu ? »

Bonne lecture !

Maquette de couverture : Mélissa Chalot
Couverture : Sylvie Fécamp
Maquette intérieure : Mélissa Chalot
Mise en pages : Typo-Virgule
Illustrations : Thérèse Bonté
Édition : Laurence Lesbre
Relecture ortho-typo : Jean-Pierre Leblan

ISBN : 978-2-01-701566-6
© Hachette Livre 2018.

Les personnages de l'histoire

Pour préparer ★ la lecture ★

1 Montre le dessin quand tu entends le son (a) dans le mot.

2 Montre le dessin quand tu entends le son (i) dans le mot.

3 Lis ces syllabes.

   pa mé tro re

mu tra pe ba fi ru vé

4 Lis ces mots-outils.

à · le · la · des · sur

un · au · et · une · il y a · du

5 Lis les mots de l'histoire.

métro   pavés   Paris

barbe   Notre-Dame   pyramide
à papa

Sami arrive à Paris.

Le métro remue.

Sami est ballotté.

La rue a des pavés.

L'hôtel est sur la butte.

Sami assiste à un défilé.

Sami filme Notre-Dame.

Vive le théâtre !

Sami est ravi.

Sami admire la parade
et dévore la barbe
à papa.

– Formidable ! dit-il.

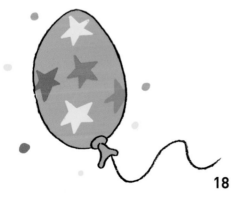

19

Paris est une belle ville.

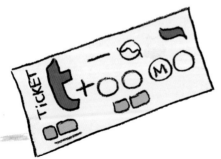

La vue est admirable ;

Sami est épaté.

Sami est affamé.

– Papa ! dit Sami,

une bonne pâtisserie...

Il y a une multitude
de vélos !

– Il a réussi ! Bravo !

dit Sami.

27

La pyramide s'illumine.

Elle luit la nuit.

Paris est sublime !

As-tu bien compris l'histoire ?

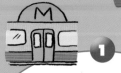

1 Comment Sami et sa famille se déplacent-ils dans Paris ?

2 Que regarde Sami le jour du 14 Juillet ?

3 Qu'est-ce que Sami a filmé depuis le téléphone portable ?

4 Connais-tu le goût du praliné ?

5 Quels monuments Sami a-t-il découverts ?

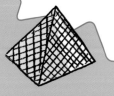

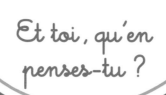

Et toi, qu'en penses-tu ?

Es-tu déjà allé(e) à Paris ?

Es-tu monté(e) en haut de la tour Eiffel ?

As-tu visité d'autres villes ?

As-tu déjà pris le métro ?

Aimes-tu les macarons ? et la barbe à papa ?

As-tu lu tous les Sami et Julie ?

Niveau 1
Début de CP

Niveau 2
Milieu de CP

Niveau 3
Fin de CP

Niveau CE1

hachett
ÉDUCATION